글·그림 에레세모

blackD

챕터4

첫 데이트(?)
MAX!! ❷

그럼 이번 연극에서 민혁이는 왕자님~

짝

짝

짝

와아ㅡ

민혁이 말고는 왕자님 할 친구가 없지~

네~!

Jickie

NOT ORIGINAL

이번 발표회에서
남자친구 역할은
장민혁.
다들 좋지?

응키응키~

뭐야.
착한 서브 남주
역에 지원자가
장민혁뿐이야?

선배, 쟤 역사를
모르시는구나?

내가 1학년
역사도
알아야 하냐?
수능도 놨는데?

쟤 어릴 때부터
착하고 근사한 남자
역만 맡아왔어요.

얼굴이 되잖아요,
얼굴이~
감히 도전할
사람도 없고.

다른 사람이
해도 잘할 텐데~

야. 널 두고 누가 해?
네가 다른 역으로
나오면 어?
그거 양민 학살이야~

하
하 하하

하하

하.

야 장민혁!

선배!

차아

다혁 씨!!

악—

하아

하..

후ㅇㅇ

괜찮습니까?

으윽…
태만 씨….

아고…
배우는 얼굴이
생명인데에~

저 얼굴
다친 곳
없…

툭.

소리 없는
비명

다행히 다른
큰 외상은
없어 보이지만

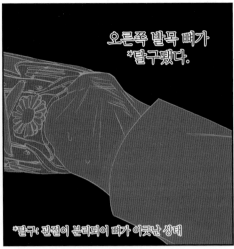

오른쪽 발목 뼈가
*탈구됐다.

*탈구: 관절이 분리되어 뼈가 어긋난 상태

수술이 필요할
정도는 아니지만
이대로 둔다면…。

으드득

윽…!
뭐, 뭐하세요
태만 씨?

발목 뼈가
탈구됐어요.
*정복해야
합니다.

*정복: 뼈를 원래 위치로
돌려놓는 조치

그러지 않으면
고통 때문에 에너지
소모가 커지고
다른 부상으로
이어질 수도
있습니다.

하

하

…그럼
부탁드릴게요.

뚜욱

뚜드
득

잠깐 마음의
준비를 하…

태만 씨…

감사합니다…
아까보다
훨씬 나아진 것
같아요….

다행입니다.

뼈 맞추고 그런 거
자격증이 있어야
한다고 들었는데

태만 씨
있으신가 봐요.

…그걸
이제서야
물어봅니까?

없으면
어쩔 건데요.
뭘 믿고
맡겼어요?

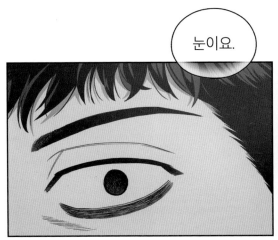

눈이요.

눈이 마음의 창이라는 이야기 들어보셨어요?

아까 태만 씨 눈을 보니까 행동에 확신이 보이시더라구요.

그래서 부탁드렸죠.

그리고…

아니에요….

…말하다가 그만두는 거 아닙니다.

정말 별거
아닌데….

별거 아니니까
말해봐요.

내가 뭘 잘못해서
피하는 건
아니구나 싶어서….

그냥…

아까 눈을
봤을 때…

나를 걱정해주고
있으시구나-
싶어서요.

죄송합니다! 다혁 씨!!!

…예?

이렇게 다치신 거… 전부 다 제 잘못 입니다….

다혁 씨가 무리해서 저 따라오시는 거… 다 알고 있었습니다.

일부러 더 힘드시라고 쉬지도 않았어요….

왜…
그런 짓을….

싸
아
아

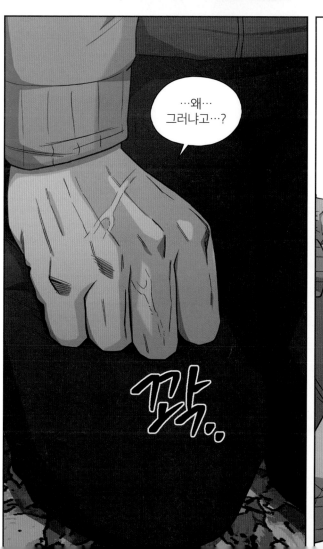

…왜…
그러냐고…?

깍..

...모든 걸
말하고 싶은 충동이
들었지만

목격자가
근처에 있는 한
그 어떤 모습도
경다혁에게
피하가
갈 수 있다.

따라내려
오지는
못하고
서성이고 있군.

바스락

?

헉

…다혁 씨에게 더 이상 피해를 줄 수는 없어.

당연히 걱정이 되죠.

부스럭

하지만 그렇다고

그냥 따로 만난 게 처음이라 어색해서 피했던 건가?

펄

럭

원수가 아닌 이상 사람이 떨어지면 누구나 걱정할 겁니다.

마냥 물렁해질 수도 없다.

아…!
눈부셔!
이게 뭐죠?!

휴대용 비상
은박 알루미늄
담요입니다.
체온 유지에
효과가 있어요.

게다가

지금 저희는
조난 상황
입니다.

얼핏 봐도
여기는 사람이
다니는 길이
아니에요.

휴대폰 신호도
안 터집니다.

마을 뒷산인데
그래도 조난까지는-

부스럭

동네 뒷산에서도
사람은 죽습니다.

부스럭

버석   부스럭

죄송합니다.
너무 안일하게
생각했네요….

철컥

탁

탁

…아, 맞다!

매니저 형에게
저녁에는 서울로
올라간다고 했는데

저랑 연락이
안 되면 형이 조치를
취해줄 거예요!

지익- 바스락

…다행이지만
거기에만 의지할
수는 없습니다.

주변을 둘러보고
올 테니 텐트에
들어가 계세요.

찌-익

잔-

뭘 얼마나
들고 온 거야?!

생각해보자.

진짜 종잡을 수가
없는 사람이다···.

주대만은 나한테
호감이 있는 게 맞아.

그러지 않고서야
산까지 따라
올 리가 없지.

그 사람도 목적이
있으니까 여기까지
따라온 거라고.

대부분은
그게 내 얼굴과
깊은 관계가 있다.

그들은 나에게서
원하는 이상형을 얻고
나는 그들에게서
내 목적을 얻으니
완벽한 거래라고
생각했는데…

계속 얼굴조차
안 보는 건 뭐고

내 얼굴을 봐도
그 표정은 뭐지?

물론 그걸 원하긴
했지만!!

…호감이
아니라

호기심이었나?

그러면 모든
의문이 풀린다…….

이해할 수는
없지만 취향이
독특한 사람이
종종 있지.

나는 볼 얼굴은 이미
충분히 다 봤고

삐죽

저 사람은 호기심이라는
목적을 달성했으니까
그걸로 됐다.

신경 쓰지 말자
신경 쓰지 마.

바스락

벌떡

태만 씨
왔어요?

태만 씨?

......

누구세요?

바스락

바스락

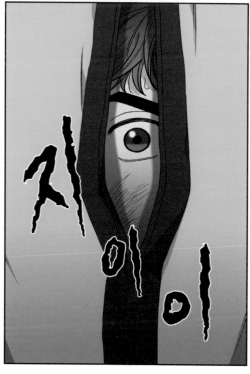

젠장…

역시 못 내려 가겠어…

여전히 통화권 이탈 지역이고….

매니저도 없이 혼자 나가길래 스캔들이라도 터지는 줄 알고 찍었더니

그냥 왠 아저씨랑 말없이 쉬지도 않고 산만 탈 뿐이고….

그러다 갑자기 미끄러 떨어지더니… 시야에 들어오지도 않구….

그치만 이대로 돌아가면 형님한테 또 한소리 들을 텐데….

씨잉…
조폭 영화는 다
거짓부렁이야….

부스럭

아무도 사람
뒷조사한다고
죽도록 등산해야
한다는 말은
안 해줬다고!

!

산짐승인가….

바스락

뭐, 뭐야.

누구야?!

36개의 항목 삭제

취소

의 삭제가 완료되었습니다

고마음…
87년생
서울시 종로구
결단로23 총망 빌라
302호….

파파라치라기에는
제대로 된 장비가 없었고…
사생팬이라기에는…
뭔가 분위기가 아닌데….

최근 연락처랑
주민등록증…
사진으로 찍어뒀다가
나중에 알아봐야겠군.

오랜만에
느껴보는 감각이다.

하나의 목적에
집중할 수 있는 기분.

도통 안 되고
있었는데….

멧돼지
발자국….

야···
야생 멧돼지-?!

하필 제대로
피할 수도 없는
상황에···!!

···침착하자.
멧돼지는 눈이
나쁘다고 들었어.

텐트를 장애물로
생각할 테니까
가만히 멧돼지가
갈 때까지 기다리면···.

킁

잠깐…

태만 씨가 아직 밖에 계시잖아!

하지만…
밖을 계속 살펴보다
멧돼지가 이쪽을
알아차리기라도
한다면….

난 피하지도
못해…!

태만 씨 체력을
생각해봐.
그는 괜찮을 거야.

지금은 날
먼저 생각하자.

젠장… 멧돼지가
돌아다니는
길이었을 줄이야.

좀 더 빠르게
살펴보지 못한
내 불찰이다….

다행히 다혁 씨는
아직 텐트 안에
있나 보군.

꽉

아까부터 오랜만에
머리가 맑다.

잡념 없이
움직일 수 있어.

다혁 씨의
안전을 위해

단숨에-

다, 다혁 씨-!

들어가세요-!!

강다혁이 보고 있으면
멧돼지를 죽일 수가…!!

이렇게 된 이상…

다혁 씨!

꾸익!

뭐 하는 거야!!
그렇게
큰소리를
내면…!!

멧돼지는 제가
따돌리겠습니다.

꾸웨
에엑
!!

이미 소리
쳐서 다
들켰잖아요!!

태만 씨가 먼저
소리쳐서 어쩔 수
없었어요!!

수신호로 나는
괜찮다고 태만 씨
피하라고 조용히
알려주려고
했는데!!

그러다가 다혁 씨를
알아채고 공격이라도
하면요!! 11월은 짝짓기
철이라 공격성이
높아진단 말이에요!

조용히만 했으면
멧돼지는 눈이
나빠서 안 들켰어요!
태만 씨도 그냥 가까이
안 왔으면 됐잖아요!

갈팡

갈팡

그렇다고
저만 피하라는
겁니까?

뿌득

…설마

우리가
시끄러워서
멧돼지가
도망간 건가요…?

…이건…

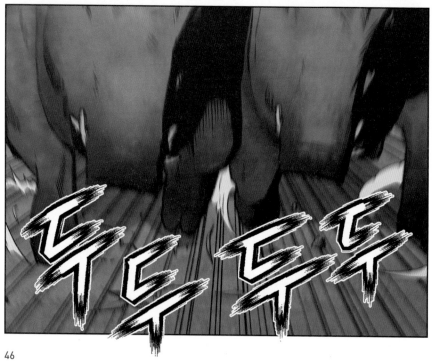

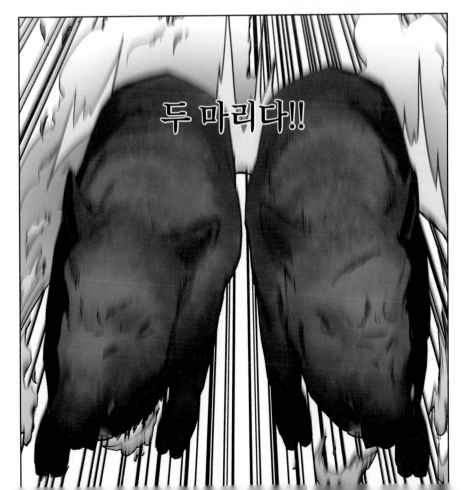

한 마리라면 우연해서
남몰래 해치울 수
있는 확신이 있었다.

강다혁에게
돌진하고 있는
멧돼지까지

내가
유인할 수
있을까?

재빨리 해치우는 게
확실한 방법인 건
알고 있다.

그걸··· 강다혁에게
보여주고 싶지 않아···.

하지만 그러다가
크게 더 다치기라도
한다면··· 나는···.

크윽···

발목이···.

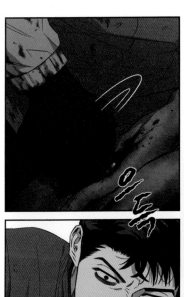

하아

하아.

고개를
들 수가 없다···.

이 상황에 대해
뭐라고 설명을
해야 할지도

그걸 듣고 보는
강다혁의 표정을
봐야 하는 것도···.

아··· 항상 그랬던 것처럼

흔적도 없이
사라질 수만 있다면···.

다, 다혁 씨?!

지금 뭐 하시는…!?

다친 곳 없으셔서 다행이다….

등 돌리고 뛰어가셨을 때부터 제가 얼마나 걱정하고 놀랐는 줄 아세요?!

휙

그런데 갑자기 멧돼지는 두 마리로 늘어나고-

태만 씨는 무슨 '훈련' 받은 사람처럼 뛰어드시는데-

두근

태만 씨… 설마….

두근.

꽉.

특전사
출신…?

…예!

그런 것 같더라니까!

아무튼 무사해서 정말 다행이에요!

이제서야 모든 퍼즐이 맞춰지네요.

그 눈빛이며 등산 실력이며….

눈빛?

저…

그렇게 잡고 있으면….

손에 피…
묻을 텐데…
역하지 않습니까?

에이~ 닦으면
그만이죠!
그리고 저-
비위 강해요!

잔인한 영화도
잘 보고~ 선짓국도
잘 먹고~

무엇
보다…

오늘 절
두 번이나
구해준
태만 씨
손인데

그게
대수인가요?

아….

아니면…
제가 너무 손을
자주 잡아서…

아고
습관이 돼서.

부담스러우셨을
수도 있겠다.

불편하셨으면
죄송해요.
신경 쓰이게 할
의도는 없었…

숙.

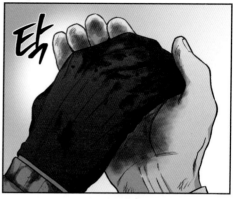

탁

…안…
불편합니다.

다혁 씨가…
원하면…
뭐….

꼬옥..

덕분에 살았어요.
감사합니다,
태만 씨.

꾸벅

...예.

꾸벅

역시 아무리
생각해도

이런 거에
대처하는 방법은
모르겠다….

웃었다!
오늘 처음
웃었다!

크흠…
안 웃었습니다.
재채기였어요….

누가 재채기를
'풉' 하고 해요?

제가요.

태만 씨,
재채기 소리
특이하시네~

어? 방금도
재채기예요?

매니저 형의 신고 덕분에
무사 구출됐습니다.

저기 있다!

멧돼지?!

멧돼지?!

그런데 여기
멧돼지 냄새가
너무 심한데

저희
다른 곳 가서
손잡고 구조대
기다리면
안 될까요?

풉!

구조대가 오기 전까지
~ 각자의 속마음 ~

챕터5

주문 요청 사항:
젓지 말고 흔들어서

…형.

야! 너 이게
어떻게 된
일이야?!

어… 말하자면
긴데 가는 길에
차 안에서 말해주면
안 될까?

그 모자랑
선글라스는
또 뭐고?!

태만 씨한테
빌렸어…

거울 보니까
나 꼴이
말이 아니더라.

근데…
태만 씨는?

그래!
내가 거기에
대해서도
할 말이 많다!!

65

그, 그 정도로 무섭게 생겼다고는 말 안 했잖아?!

다혁 씨 매니저 되시는 분이십니까?

다혁이 걱정돼서 좁혀진 미간.

진짜 깡패나 위험한 사람하고 엮인 거면 어쩌려고 그래?!

태만 씨 그렇게 나쁜 사람 아냐~

그리고 태만 씨 어디 가셨냐니까?

나 왔으니까 됐다고 가라고 했다! 됐냐?!

왜?!

인사도 못 했는데….

응급 의료 센터
Emergency Center

빡
빡빡
빡

철걱

하아-

다친 것도 네가
대표님한테
직접 말해!

에이잉
혀어엉~

이번에는
안 돼!

내가 다치고
싶어서
다친 것도
아니고~

얼굴 멀쩡하면
된 거 아니야?

푸르

씩

팩도 해야 하고…

비타민A 크림이랑…

오일까지
발라줘야 하는데….

보낼까…

말까…

보낼까…

말…

마지막 칼

하아….

오~ 뭐야
이제 조준
잘하네?

최악의 썸남이
좀 도움이
됐나 보다?

먼저 연락하는 건 좀
그런가···?

아직 자고 있는데
내 문자 소리에
깨면 어쩌지···?

흐음~

헉

···야!

문자 보내려던 거
집착남 컨셉
아니었냐?

21:36

다

잘 들어갔어요?

오늘 재지렸음ㅋ

자요?ㅎㅎ

답 없는 거 보니까 자나?ㅎㅎ

톡
토톡

톡

토톡토톡

그런 멘트 가지고
퍽이나 최악의
썸남이겠다.

톡톡
토도독
또독

형이 하는 거
보고 배울마~

탁

내가
알아서 해
새끼야.

우
우
웅

예이
예이~

우
웅

우
웅

으⋯.
머리야⋯.

하긴⋯ 그 난리를
치고도 멀쩡한 게
비정상이겠지만⋯.

콜록!

콜록!

누가 이렇게 문자를⋯
아⋯.

형인가?

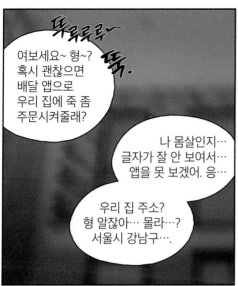

뚜루루루~
뚝.

여보세요~ 형~?
혹시 괜찮으면
배달 앱으로
우리 집에 죽 좀
주문시켜줄래?

나 몸살인지…
글자가 잘 안 보여서…
앱을 못 보겠어. 응…

우리 집 주소?
형 알잖아… 몰라…?
서울시 강남구….

톡.

하아─….

달그락

달그락

응…?

와… 이렇게 비현실적이라

바로 인식할 수 있는 꿈도 드문데….

신기하네….

보드카 마티니 젓지 말고 흔들어서.

도대체 영화가 몇 개나 섞인 걸까요. 이 꿈?

본즈. 내 이름은 제이스 본즈요.

음….

그러고 보니 우리 꽤 오래 만났는데 제대로 대화도 해본 적 없죠?

난 빛이 두렵지 않거든 너와는 달라.

그래서 자꾸 제가 본 영화 대사로만 답하고 계시고.

이상하다….

내가 누가 나오는
꿈은 잘 안 꾸는데….

태만 씨가
나왔네요….

땅-

가서
문 여세요.

머리야….

문 앞에
두고 가주세요~

저….

뚝.

형…?

뭣!?

너 어디 가?!

죽 주문 시켜달라잖아!

자기가 말해놓고 기억도 못 하냐?

'최악의 썸남'이 그런 부탁 들어주겠어?

허…

그럼 어디 가는데?!

알바 면접.

진짜로?

티벅

티벅.

슥..

죽!

두

두

두

죽!

몬 죽

다혁 씨 는 배달이면
괜찮다고 하셨지만

어서 오세요~

휴대폰 화면도
보기 힘들 정도로
아프시다는데 어떻게
배달만 시켜드려···

약이랑 이온 음료···
귤도 사야겠다···
몸살감기에 좋으니까···

포장
입니다.

매장 내
이용
이신가요?

죽은···.

다혁 씨는···

무슨 죽을
좋아하시지?

기본적인 흰죽?
하지만 전복죽이
드시고 싶으셨다면?
시간 죽이 사실 지일
싫어하는 거였다면?

시중에 파는 죽이
다혁 씨에게
짜거나 싱겁지
않을까?

전화해서
물어보기에는⋯

손님?

아프셔서
쉬시는데 괜히
방해한 거라면⋯?

84

…!

어….

태만 씨가 왜
우리 집 앞에…?

아…!

혹시…?!

형인가?

헤롱

형~
나 죽
배달 좀~

우리 집
주소가~

헤롱

…주소
물어볼 때…

알아차렸어야
했는데….

…아냐
후회해봤자
과거일 뿐

신경 써야 할 건
지금이다!

태만 씨가
엘리베이터를
타고 올라오는
시간은 길어봤자….

2분 남짓…!

두근

두근

문이 닫힙니다—

야! 옷도 더러워져서
갈아입어야 하는데!

보호대는 왜
버클이 4개나
있는 거야!!

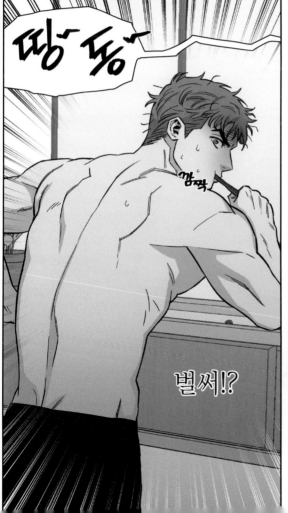

저…
주태만
입니다.

빠빠‥

들어오셔도
돼요!

…네!

실례하겠
습니다….

여기가
다혁 씨의 집….

다혁 씨는…

콜록!

누워 계시구나….

일단…

급한 대로 이불에
숨었는데….

더더욱 곤란한
상태가 되었는걸….

끄으..

우와~ 큰일이다…!

격하게 움직였더니
열이 더 나는 거 같은데…?

기껏 여기까지 와준
사람한텐 미안하지만…
죽만 두고 가달라고
말해야겠다….

어질

어질~

저….

！

！

다, 다혁 씨 먼저 말씀하세요!

휘적 휘적

아뇨 아뇨! 태만 씨부터!

그럼…

혹시 괜찮으시다면

부엌을 좀 사용해도 될까요?

왜?

…다혁 씨의 전화를 받고 생각했습니다.

무슨 죽을 좋아하실까 괜히 전화로 물어봤다가 쉬시는데 방해하는 건 아닌지

애초에 가게에서 파는 죽이 입맛에 맞으시는 걸까? 다른 대안이 없어서 시켜드시는 걸까?

다혁 씨가 아프신 건 함께 산행을 했던 제 책임도 일부분 있다고 생각합니다.

회복하시는 동안 모든 걸 도와드릴 수는 없지만….

드시고 싶은 죽을 입맛대로 드리는 게

최소한의 도리가 아닌가 싶어서…!

두둥

부엌 사용만 허가해 주신다면

원하시는 죽은 뭐든지 만들어 보겠습니다…!

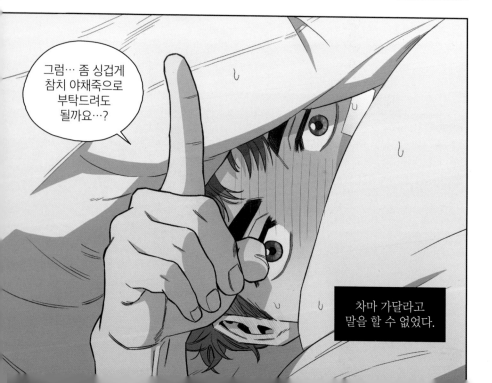

그럼… 좀 싱겁게 참치 야채죽으로 부탁드려도 될까요…?

차마 가달라고 말을 할 수 없었다.

모르겠다.

주태만이라는
사람을 예상할 수 없어.

무서웠다가

친절했다가

설레하다가도

무심하게 대하고

내 걱정은
필요 없을 정도로
강한 사람이
맞는데

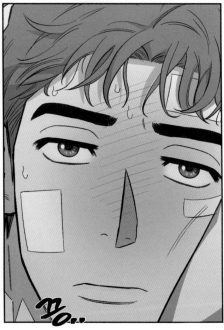

끄으..

지금의 태만 씨는
뭘까?

책임과 도리만으로
여기까지 온 걸까?

아- 역시 안 되겠다.

설령 열이 더 날지언정….

콜록!

씻고
대화하자.

태만 씨~

무슨 일
이십니까?

갸옷

오해하지 말고
들어주세요~

제가 지금
옷을 안
입었어요….

그, 그-
옷 갈아입다가
태만 씨가
오셨거든요!

죄송합니다!!

아뇨 아뇨~
죄송까지야…!

그래서
제가 욕실에
들어갈 때까지
눈 좀… 감고
계셔줄 수
있을까요?

예…!!!

스
윽..

지금은…

두근거려 하네…

이제 눈
뜨셔도 돼요!

예.
예에….

…침착하자.
달라지는 건
없어….

죽을 끓이고
다혁 씨에게 드리고
돌아간다,
그게 끝이다.

다혁 씨가 옷을
벗고 있든 말든
변수로 적용되지 않아.

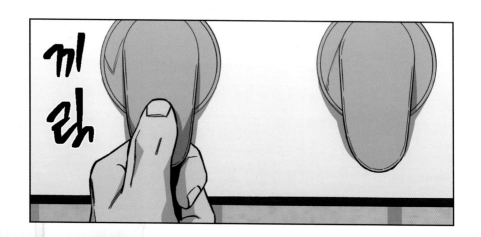

저 갑니다.
다혁 씨.

네, 네?!

죽은 다 끓여
뒀습니다.
그릇에 담아
드시면 됩니다.

화끈

화끈

굴도
사 왔으니까
후식으로
드세요.

벌써
가시려구요?!

또다!

아까는 두근거려 하더니
왜 지금은 다시
멀어지려는 건데?!

어질

태만 씨!
잠시만요!

가달라고 할 상황에서는
말 못 하게 해놓고.

그런 게 어딨어!!

띠
로
리
~

푹
쉬세요…!

아픈 몸 이끌고
샤워까지 했더니
가겠다고?

어…?

뒤늦게 돌아오는
이성.

…!!

…!!!

죗, 죄송
합니다!!

그, 여기까지
오셨는데
그냥 보내기가
죄송한 마음이
앞서서 그만
…!!!

파
앗

아, 아닙니다!
제가 계속
눈을 감고
있었어야 했는데
…!!!

!

옷…

젖으셨네요….

제 옷 빌려드릴게요! 갈아입고 가세요!

예!? 아뇨 아뇨 괜찮습니다!!

저 때문에 젖으신 건데 감기 걸리시면 어떡해요…!

제 마음이 안 좋아서 그래요 부탁이에요. 태만 씨…!

이잉

이잉

이잉

이잉

끙..

2층 옷장에서 옷 꺼내 입으시면 돼요!

야간 헐렁

다혁 씨 옷….

음….

큥

뭐 하냐…
주태만….

!

강다혁
너 뭐 하나…

적당히 해야지
나중에 거리
떨어뜨릴 때
뒤탈이 없는데….

태만 씨의 자꾸만
피하시는 점이
이럴 때는 다행이네….

아니었으면….
사고났을지도….

저-

다혁 씨.

!

네?

아~ 보셨군요.

…느와르 영화 좋아하십니까?

로맨스만 찍으시길래 로맨스를 좋아하시는 줄 알았습니다….

왠지 배신한 기분이라 죄송하네요.

하지만….

쿨쩍

원래 저는
느와르를
좋아하고

또 연기하고
싶어요.

다들
안 어울린다고
말리지만…

그래도 저는
해보고 싶어요.

그렇게까지
하는 이유…
라도 있습니까?

싱긋

좋아해서
하는데
이유가
필요 있나요.

마음이
시키는 거지.

마음….

다들 철없고 배부른 소리라고 하니까

태만 씨도 그렇게 생각했다고 해도 괜찮아요~

하하

절레

삐빅..

우리한테
어울리지도 않는
저런 건 뭐 하러
보고 있어.

그리고
청소 하면서
TV 보지
말랬지?

아들.

남들이 안 된다고
말하는 걸
밀고 나가는 건.

아무나
할 수 있는 게
아닙니다.

응원하고 있으니까

뭐든… 도움이 필요하다면 말해주세요.

그… 특전사 니까!!

이런 말 처음 해봄.

이렇게 진지하게 처음 들어봄.

펌

삐그덕

죽, 죽 먹을까요!? 우와~ 배고프다~

…네!

삐그덕

그럼 태만 씨는
[유간도]도
[물한당]도 [갓엉클]도!
전부 다 아직
안 보신 거예요?

주로
주변인들이
보자는 걸 그냥
보는 편이라…

그럼 좋아하거나
싫어하는
장르는 딱히
없는 건가요?

…그런 듯
합니다….

그럼 다음에
제가 추천하는
영화 같이 봐요!

좋습니다.

뭐부터 볼까~
영화 처음 보는
사람의 반응
보는 건
항상 즐거…

…워서~

~현관 앞에 서자
떠오르는 기억~

부
끄

그… 오늘
와주셔서
정말 감동
받았어요!
감사합니다!

…아닙니다.
불쑥 찾아와서
방해만 드린 건
아닌지….

전혀요!!
조심히
들어가세요!

네…!

붕

붕

문아 닫힙니다

영화 얘기만 하느라
결국 못 물어봤네….

태만 씨는…
아니야…

…문제는 태만 씨가
아니라….

나는…

태만 씨를…

뭘로 보고 있지?

어라?
열이 다시 나나?
뜨끈한데?

어어~?

상시 발열 중

챕터6

첫 번째와
17번째

야- 나와 새끼야~

문 안 열면 문 따고 들어간다~

127

문어 심부름센터
원숭민….

밤길
조심해라.

이 새끼가
기어코 다혁 씨를
건드리시겠다….

질겅

...

찰칵

뭐 하냐.

네 면상
웃기게
생겨서.

거울
봐라.

이건 내가
챙겨둔다.

텁.

근데 너 원래 하던 미행은 잘 하고 있냐?

한치파 이사원 잘 감시하고 있냐고.

꽈아악..

다음

뭐~ 천하의
주태만이
어련히 알아서
하시겠지만~

정신
똑바로
차려

사장님
신경 쓰이게
하지 말고.

말 다 했으면
나가라.

저는 이제 저녁 먹고 쉬려구요! 읽음
오후 19:18

다혁씨

태만씨가 두고 간 재료로 카레 만들어
먹었어요! 읽음
오후 19:19

다혁씨

빠
똑!

빠
똑!

오후 19:19

읽음 저는 김치볶음밥 해 먹었습니다.
오후 19:20

다혁씨

빠
똑!

읽음

씨익...

…확실히 현재 내 온 신경은
강다혁과 그 주변으로만
집중이 가능하다.

하지만… 생각의
연결 고리를 바꾼다면-

다혁 씨를 미행하고
위협하는 원중민은
한치파의 행동대장.

원래 타깃도
한치파의 이사원.

연결점이
없을 리가 없어.

한쪽을 캐보면
다른 한쪽에
대해서도
알 수 있을 거다.

한치파 전체가
　　　　타깃이다.

그로부터 8일 뒤
11월 15일 월요일
아침 8시 30분쯤.

이태원의 어느
브런치 카페.

지금은 오픈
준비 중 :)

잠시 기다려 주세요
영업 시간: am 10:00~
pm 09:00

우~와

진짜
너무 맛있다.
소연 누나.

크흡..

나 눈물
날 것 같아.

반깁스 하는 동안
형이 돌아다니지
말라고 해서~

그동안
소연 누나네
가게도 못 오고~
팬케이크도
못 먹고~

그야 비활동기인데
그렇게 다치고
굳이 나갈 필요는
없잖아!

괜히 눈에
띄어서 이상한
구설수에 오를라...

하하~
많이 먹어
많이 먹어~

날이 갈수록
더 맛있어
지는 거 같아~

가게
차려줄까?

아~ 맛있다.

뭐래ㅋㅋ
가게 이미
있거든. ㅋㅋ

원래 일하시던 분이 휴가를 가게 돼서~

이번에 임시로 뽑았는데 엄청 일 잘하셔!

에이~사장님 또 사람 띄워주신다!

그리고 엄청난 네 팬이더라!

일찍 올 필요 없다고 했는데~

너 온다니까 사인 받을지도 모른다고 네 출연작 블루레이도 들고 왔다니까~

우와~ 정말요?

아~ 아니에요! 안 들고 왔어요!

식사하시는데 괜히 방해하고 싶지도 않고~

아니에요~
저 사인하는 거
좋아해요~

그치, 형!

끄덕

정말
안 들고
오셨어요?

으~

음~

들고
올게요!!

드다다

찰 칵

강여혁
To. 강웅
항상 건강하세요!!

사인에 사진까지~
정말 감사합니다!

에이~ 뭘요!
블루레이까지
들고 와주시구.

제가 더
기쁘…

저, 저
잠깐만요!

네?

배경화면에…
그… 아시는
사이세요?

아…

저…
그게….

괜찮아~ 설호 씨
다혁이 그런 거
신경 안 써.

아는 사람이랑
닮아서…! 혹시
그 사람인가 싶어서요.

아~….

그….

씨익

그래서 걔가
그랬다니까~

진짜?

하하..

태만~씨가…

지금…

남자친구가
있다는 거지···.

씨
익
;

와-

연예인이
임자 있는
사람한테 손을 대?
완전 미쳤네.

덜컥

아~ 소연 누나도 그 기사 읽고 있구나~

다혁아 왜 그래?

콜록 콜록

아, 아냐 사례가 걸려서… 무, 무슨 기사?

.ıl GT 🛜 09:01

GTNEWS

[포토 이슈] 인기 남배우 '고 소혜' "헛소리하지 말라" -4살 연상 신혼부부 vlog 인기 듀튜버와 키스 사진에도 막말 대응

입력2021.11.15.오전 7:25

차라시 기자 〉

❤ 913

상승세 스타 고소혜, 키스 사진을 보여 주며 질문한 기자에게 삿대질 "닮은 사람이다. 사실무근하다."

주말 연속극 '칼을 들었으면 무라도 썰어 해'의 남자 주인공역을 연기한 배우 고 소 의 불륜 스캔 사진이 공개되어 화제다. 상 방은 듀튜브에서 신혼부부 vlog로 110만

엥? 너 아직 안 봤어? 지금 SNS고 뉴스 사이트고 난리도 아냐~

아니, 미친 거 아냐? 평범하게 연애해도 관심을 한 몸에 받는 게 연예인인데

불륜운~? 간땡이가 부었구먼 부었어.

…

그러니까~ 여기는 할리우드가 아니라 대한민국 이라고~

순애보적 느낌으로 대중이 좋아했는데 이미지 완전 끝장이다, 끝장.

그치, 다혁아?

그러엄~
내가 또
선 딱! 긋고
잘해주는 거
선수지이~

야 다혁아.
너도 사람 만나기
전에 잘 알아보고
만나야 해.

모르고 만났는데
알고 보니 애인이 있다?
대중들한테 '모르고'는
이미 변명이야~

소연 누나는 왜
그런 소리를 해~
말 안 해도 그런 거
신경 쓰는 애거든?

태만 씨….

147

음….

잘했다.
태만아.

마음은
다 정리
했나 보구나.

예….

그리고
허가해주셨으면
하는 게
있습니다.

?

한동안
서비스직 근무
훈련은 잠깐
멈췄으면
합니다.

그동안 소홀했던 만큼 타깃을 더 파고들고 싶습니다.

음…

네 판단을 믿으마.

드르르

털푸덕

아직도 답장이 없네….

마스크를 챙기는 게 좋을 것 같아요.

읽음 오전 7:11

다혁씨

저는 오늘 오후에 예능 녹화가 있어서 오전은 여유롭게 보내고 있어요~

읽음 오전 7:11

다혁씨

태만씨는 주무시려나~

읽음 오전 7:12

다혁씨

읽음 오전 7:12

안읽음 오전 9:03

다혁씨 잘 주무셨습니까. 저는 지금 일어났습니다

태만씨

저는 크게 다른 일정 없이 매일과 같은 하루입니다. 다혁씨도 마스크 챙

안읽음 오전 9:04

주무시는 게 아닐 때는 바빠도 3시간 안에는 연락이 왔는데….

…그러고 보니 항상 먼저 문자를 보내오던 건 다혁 씨였지….

톡

토독

톡

톡

이번에는….

내가 먼저 보내볼까….

이게 튜투브에서 말한 [연애는 밀고 당기기]의 [당기기]가 필요한 타이밍이겠지….

[밀기]만 하면 상대가 지쳐서 떠날 수 있어요!

안읽음
오후 2:40

다혁씨, 뭐하고 계십니까?

보냈다…!!

다음 날

안 돼….

애초에 길게
끌 생각도 없던
사람이었어…!!

연락을 안 해도
뒤탈이 없을
좋은 핑계를
오히려 태만 씨가
만들어준거나
다름없어!

연인이 있는
사람과 더 이상
가깝게 지내는 건
힘들겠다고 말이야!

그런데 내가
두 번째인 건가…?

이건… 내 인생에서
드문 경험인데….

아니 아니… 애초에 나랑
태만 씨는 아무런
사이도 아니라고!!

… 아무 사이도
아니면 문자 정도는
해도 되는 거….

스으..

아니! 내가 무슨
미친 생각을!

이제 정말
"몰랐다."라는
변명도 불가능한
상태인데!

태만 씨….

하아아아ㄱ

뭐야~
젊은 놈이
웬 한숨이야?

아…!
선배님!
안녕하세요!

벌떡

어~ 앉아 있어, 오늘따라 쫌
앉아 있어. 기운 없어
보인다?

조금 고민이
있어서….

고민?
야 고민은
나눠야지~

너 준근이 알지? 걔랑 청담에서 술 마시기로 했는데 너도 낄래?

준근

엇! 제가 껴도 되나요?

그럼 그럼-

뭔 고민인지는 모르겠지만 싹싹하던 놈이

한숨 푹푹~ 쉬고 있는 거 보기가 맘이 안 좋네.

준근이는 배우로서도 인간으로서도 선배니까 털어놓고 나면

도움이 될지도 모르잖냐?

선배님…!

준근이한테는 내가 미리 말해놓을게. 걔도 좋아할 거야.

그럼 녹화 끝나고 같이 가자.

예! 선배님!

사장님은?

잠시 은행 가셨어 기다려.

그날… 분위기는
나쁘지 않았던 것
같은데…

내가 눈치를
못 진 건가….

그렇다기에는
그후로 연락도
주고받았고…

다혁씨 잘 주무셨습니다.
어제부터 답장은
없지만….

저는 크게 다른 일정 없이 매일과 같
하루입니다. 다혁씨도 마스크 챙기시
출근 하십시오. 물도 자주 마시십소.

다혁씨, 뭐하고 계십니까?

옷도 가져다
줘야 하는데….

요새는
강다혁한테
연락 안 오나
보다?

네가 알아서
뭐 하게.

야, 나는
궁금도
못 하냐?

최악의 썸남
아이디어
제공자 나야~

꿀꺽

신경 꺼.

스탁

서걱

싸가지
없는 놈.

주디만···
감히 일이랑 사랑
둘 다 잡으려고
하시겠다~

난 사장님이랑
쥐뿔도 없는데.

우시딘 연고   3000

존경은 동경으로

동경은 사랑으로 변했다.

차음에는 이래선
안 된다고 생각했다.

툭

투욱

이 감정을 얼른
버려야 한다고

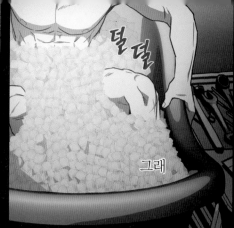

그래

없애버리자.

더 이상 형을

좋아하지 않겠어!!

달그락

달그락

오우~
성준근이~

먼저
먹고 있지
기다렸네?

혼자서 뭘
고기를
구워 먹어.

돼레비앙 소슈

돼레비앙 소슈

돼레비앙 소슈

돼레비앙 소슈

찌
이
이
익

꾸벅

오랜만
이에요.
혀엉~

어, 어어~
다혁이도
녹화하고
오느라 고생
많았지?

걱정해주시는 것도
챙겨주시는 것도
감사한데…

짠-

이걸… 어떻게
말해도 되나…?

선배님들은
좋은 분들이시지만….

삼겹살 3인분
추가할까?

소주도
두 병 더.

솔직히 아직 믿고
말해도 되는지
모르겠고….

특히나…

"신경 쓰이는
사람이 알고 보니
애인이 있었대요…."

"그런데 제가 먼저
꼬시기 시작했고
왜 그랬냐면
연기 관찰에
이용해 먹으려고
했었어요-"

"제가 계속 연락을
해도 될까요?"

으악~ 문장으로 정리하니
더더욱 말할 만한
주제가 아니잖아…!

그러고 보니…
다혁이가 고민이
있어 보인다고
들었던 것 같은데….

아…
그게….

그래! 이런 놈이
대체 뭐 때문에
한숨만 푹푹
쉬고 있던 거야?

….

혹시….

연기 때문에 그래?

연기? 얘 연기 잘하잖아~

장르 따라 조오금… 부족한 건 보이더라고….

기분이 나빴다면 미안…!

평가하려는 건 아니었는데….

아니에요. 아니에요! 저도 느끼고 있는 부분인 걸요.

형 생각은
어떠세요?

제가… 느와르
장르 찍고
싶어하는 거요.

솔직하게
말해주셔도
괜찮아요!

내가 무명 생활만
10년이었어.

이 바닥에서는
태반인 일이지만
그래도 힘들었다.

운 좋게 지금은
먹고 살 만큼 벌면서
연기하고 있지만….

나보다 더 오래
연기했어도
그렇지 못한
사람도 많아.

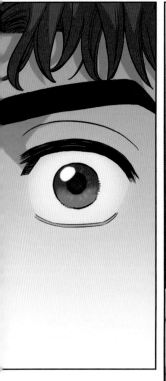

저….

지금 형한테 대단하단 소리 들은 건가요?

저 지금 설레도 되나요?

으… 응….

그래! 솔직히 너 이 얼굴! 얼마나 잘생겼냐!

로맨스에서는 네 얼굴이 서사고 개연성 아냐? 축복받은 거지!

요놈~

에잇! 살이나 쪄라! 먹어라 먹어!

응원하고
있으니까···.

추가하신
삼겹살 3인분이랑
소주 두 병입니다.

오~ 타이밍
좋게
고기 추가~

사람이란 존재는
종종 어이없을
정도로 단순하다.

지글
치이익~
지글

내 기분은 어떻든
입에 들어오는
고기는 맛있고

맛있는 걸 먹으면
같이 먹고 싶은
사람이 떠오른다.

태만 씨가

보고 싶다.

그래…! 남자친구가
있다고는 해도…
지금 그들이
어떤 상황인지는
모르는 거잖아…!

대차게 싸워서
헤어지기
일보 직전
이라던가…!

태만 씨가 보여줬던
모습들을
생각해보면…

푸욱

푹

혹시…
어쩌면…!!

아무튼 일방적인
말만 듣고 아무 연락도
하지 않는 건 멍청하고
무례한 짓이야!!

아

삭!

아-!!

왜 그래?
왜 그래?

오늘 사촌누나
생일이었어요!
다 같이 모인다는 걸
까먹고 있었네!!

뭐!? 야 인마
가족 생일은
챙겨야지!!
얼른 가, 얼른!!

조, 조심히
가~

뚜득루루—

그동안 연락을
안 해서
안 받으시는 건
아니겠지…

뚜루루루—

역 치킨호프

주문
하시겠
습니까-?

꼬오오오

소근

햐 이
새끼햐…!!

소근

그딴 얼굴로
서빙할 거면
그냥 집에 가!

난 한동안
서비스직 근무
훈련 안 해도
되거든?

아까 바쁘대서
도와주러 온 거지-

뭣…?!
진짭니까
사장님?!

연결이 되지 않아
삐 소리 후
음성사서함으로
연결되며
통화 요금이….

끄으으
음…

푸ㄹㄹㄹㄹㄹ—

부재중에 다시
걸어볼 적은
내 인생 처음인데!!

!

우우
웅~

다혁씨
휴대전화

밀어서 통화하기

스으...

가라니까
간다.
사장님
이제 가봐도
됩니까?

지금은
한가하니까...
그래.

…

여보세요?

태만 씨!
오랜만이에요!
잘 지내셨죠~

그동안
연락 못 해서
죄송해요!

아닙니다…!
바쁘셨나
봅니다.

바쁘기도 했고…
생각할 것도
있어서요….

생각할 거…?

갑작스럽게
죄송하지만…
통화로 할 얘기는
아닌 것 같은데….

…지금요?

아! 아뇨 아뇨 시간 되실 때요!

내일이나 모레도 괜찮고….

지금도 괜찮고….

두근..

두근..

지금….

-도 괜찮은데 빌렸던 옷이 집에 있어서….

아! 지금 밖이세요?

옷은 다음에 주셔도 괜찮아요!

지금 어디세요? 제가 거기로 갈까요?

저는 지금 청담동인데….

아… 저도… 그… 근처입니다. 제가 거기로 가겠습니다!

아…! 그러실래요? 음~ 그러면….

여기 근처에 근린공원이 있는데 거기서 뵐까요?

예…! 지금 바로 출발 하겠습니다!

다 오시면 연락주세요!!

태만 위치

대중교통 50분

택시 25분

다혁 위치

택시 타야겠군….

사실 근처가 아니었다.

꾹.

스―흡

만약 정말로
남자친구가
있다고 해도···

아직은 헤어질
생각이 없다고
해도··· 괜찮아.

태민 씨라면 내가

기다릴 수 있어.

치킨호프

주태만···.

찰나였지만
전화가 왔을 때
순간의 표정···

다혁씨

그건 필시···.

강다혁 전화
구나아아아
아아아아-?!

사장님!
지금 손님
적은데
잠시 나갔다
와도 될까요?

왜.

지금 주태만 저 자식 그 배우 만나러 가는 거라고요.

…마음은 다 정리했다던데.

당근 개구라죠!!

사장님이 말씀하셨잖아요.

사랑은 안 된다고-

가서 말려야 합니다!

씨이이악

빠광

예, 다혁 씨
지금 공원 앞에
도착했습니다.

아! 어느
입구로
오셨어요?

산책로랑
체육시설로
가는 길이 나 있는
출입구… 군요.

아~다행이다.
제가 있는 곳이랑
가깝네요! 저 지금
쉼터에 있어요!

산책로 따라 쭉
올라오시면 쉼터로
가는 표지판이
보이실 거예요!

쉼터

농구장

그럼
그쪽으로
가겠습니다.

뚝.

「생각할 것」이
있었다는 게

도대체 뭘…?

흥미 삼아
한 번 데리고
놀아봤는데
뭘 진심으로
다가옵니까?

이제 그만
연락하세요.

-라든가….

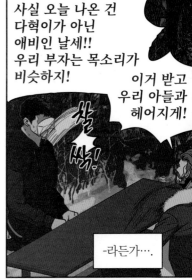

사실 오늘 나온 건
다혁이가 아닌
애비인 날세!!
우리 부자는 목소리가
비슷하지!

이거 받고
우리 아들과
헤어지게!

찰
싹!

-라든가….

태만 씨…
이쯤 되면
저희…

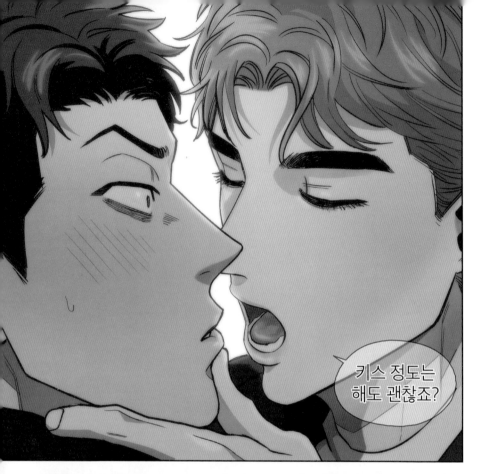

키스 정도는
해도 괜찮죠?

-일 리는
없겠지...

퍼ㅡ엄

정신 차려
주데만...
최근 로맨스
드라마를 너무
봤나...

지금 나 따라온 거냐? 김설호?

와~ 그걸 방금 알아챘어?

너 찌인~짜 실력 많이 녹슬었다~

현장 나가도 괜찮은 거 맞아?

몇 년째 현장에는 나가지도 못하는 놈 얘기를

내가 들어줘야 하나?

태만 씨가
슬슬 올 때가
됐는데… 방글

헤매시나?

!

태만 씨!!

…와 남자친구분?!

기웃

무슨 일인 거지…?
분위기가 안 좋아
보이는데…

내가 끼어들어도
되는 걸까?

두근

두근.

195

...

엎치락

뒤치락

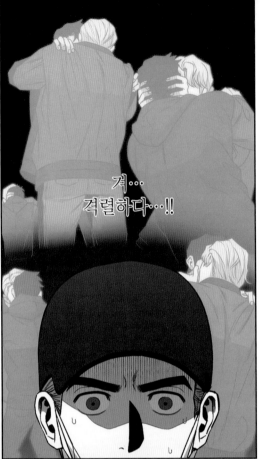

겨…
격렬하다…!!

이... 공공장소에서...
저런 키스를 할 정도로
서로를 사랑하고
있다는 건가...?

부들..

하지만

내가 원하는
일상은 이제….

야아~! 빨리 가자니까~

…그래. 김설호 임무에 지장이 가서 네 도움을 받기로 했었지.

그런데 내가 내 방식대로 해결책을 찾았거든.

그러니까 이 이상 내 사생활에 네 좆대로 개입하면

아무리 너라도 곱게 반응 안 나간다.

타

닥

씨이빨….

…다혁 씨!!

…

멈칫

태만 씨?

어라?
남자친구분
혼자 두고
오셔도
괜찮아요?

저는 나중에
얘기해도
괜찮은데~
그렇게
급한 것도
아니구….

?!?!
남자친구요…?

네! 우연히 남자친구분이랑 만나서 얘기한 적이 있었거든요….

그새… 자식이랑 만났습니까!?

태만 씨랑 아는 사이인 거 듣고 세상 참 좁구나 싶었다니까요.

…그래서 갑자기 연락이 없었던 건가…!

…다혁 씨 그 자식이 무슨 말을 했는지는 모르겠지만

그냥 알고 지낸 지 오래된 미친… 이상한 놈입니다.

남자친구 같은 게…

슥

죄송해요….
저 지금 표정이
안 좋을 것 같아요.

그리고 태만 씨에게
그런 표정 보여주고
싶지도 않고….

그 사람이
태만 씨 말씀대로
남자친구가
아니라고 해도

왜 이렇게
마음이 나쁘게만
들까요?

저는 태만 씨의
그 어떤 것도
아닌데

그 사실이
왜 이렇게 절
화나게 할까요?

…

남자친구가 아닌데 키스는 왜 했어요?

...

키스 안 했습니다!

뚱!

...!!!
안 했어요?!

...

!!

그 움직은요!?
완전히 고개를 돌리고~!

뚱!

뚱!

그건 피하려고 돌린 겁니다...!!

데

엥~

!!!

!!

204

…하하.

하하하.

난 또…
키스한 줄 알고
그걸 또
질투하고오-

질투?

질투?

아아…
애도 아니고
이게 뭐야….

저 지금
너무 부끄러워서
죽고 싶어요….

죽는다는 말
함부로 하는 거
아닙니다….

몰라요. 몰라
나 죽을래.
부끄러워서
죽을래.

…

……

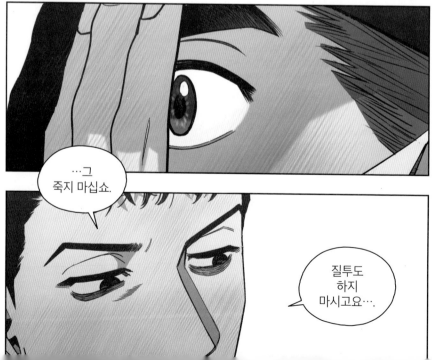

…그
죽지 마십쇼.

질투도
하지
마시고요….

더… 이상
용무가 없으면
이만 내려갈까요.

옷은 제가
퀵으로
보내드리겠…

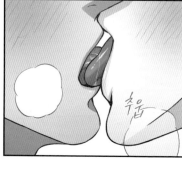

강다혁은
생각한다.

아….

두근

각이다.

두근

집까지 거리도
멀지 않고...
이대로... 음!!

각이다!!

남자랑
해본 적은
없지만...

어떻게든
해볼 수
있을 거야.

씻는 동안
검색해보면
되겠지!

두근..

주태만도
생각한다....

각이겠지?!

두근.. 두근..

…오후 9시 방향에서 여성으로 추정되는 사람 1명이 접근하고 있습니다!

파!

샥!

…!! 감사합니다!

저- 태만 씨…

괜찮으시면 저희 집 잠시 들르실래요?

그… 그러고 싶지만… 잠깐만 만날 줄 알고 이후 일정을 잡아버려서…

아아….

큭…!

그래도 저 때문에 원래 일정을 바꾸시는 건 바라지 않으니까.

기다릴게요.

뭐 타고 가세요? 택시? 지하철?

…지하철이요.

택시 타세요! 제가 잡아드릴게요.

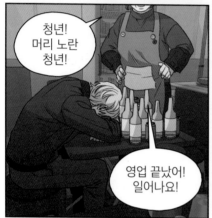

청년!
머리 노란
청년!

영업 끝났어!
일어나요!

부스스…

어우~
혼자서 이걸
다 마셨어?

빠직

비척

짜증 나는 짜식…
좋겠다. 그래….

상대방이
좋다구나
받아줘서!!

빡

수치음식

아오…
씨발….

프로 의식
없는 새끼….

그러다
칼 맞아
뒤지든가….

[저승사자는 뭐 하나. 저 인간 안 잡아가고]

빤-

!

동네 사람들은 아비란 놈이 길을 지나갈 때면 수군거리곤 했다.

퍽!

빨리 빨리 안 와?!

애새끼가 실컷 먹여놔도 힘도 못 쓰고!!

빠악

아, 아니! 박 씨! 그렇다고 지금 애를-

에헤~이… 괜히 끼어들었다가 저번에 주 씨 이마 찢어진 거 기억 안 나?

나 역시도 그렇게 생각했다.

같은 피가 흐른다는 사실이 화가 날 정도로

그래서 내가
처음 이들의 존재를
알게 되었을 때

히~익!

너, 너
누구야!!

꾸루룩.

오지 마
개새꺄아
!!!

219

그들이 바로
저승사자구나
싶었다.

나쁜 새끼들만
잡아 죽이는
무서운 사람들

끼
이
익
...

내가 그걸
어떻게 믿어.

진짜루!
찍고!

내가
무섭지도 않아?
방금 너네 아빠를…
아무튼….

당근 무섭지!!
그래서
지존 멋있어!

너… 경고하는데
다른 사람한테
말할 낌새가
조금이라도
보인다면….

말 안 해!
누굴 찌질이로
알아?!

…지켜볼 거다.

남자는 집을
청소하기
시작했다.

태어나서 이 집이
이렇게 깨끗해진 건
그날이 처음이었다.

저기~

형, 형.

형처럼 되려면
어떻게 해야 해?!

나도 형처럼
나쁜 새끼들
조지고 다니고
싶은데!!

하지만 그는
아무 대답도
하지 않았고

사라졌다.

무시할 수도 있었지만… 아까도 말했다시피 근성이 마음에 들어서 선택권을 줘보자 싶었지.

괜히 긁어 부스럼 만들지 말고 조용히 법 안에서 살아가거나

목숨 내놓고 법 밖의 쓰레기들 청소하며 살아가거나.

…사장님.

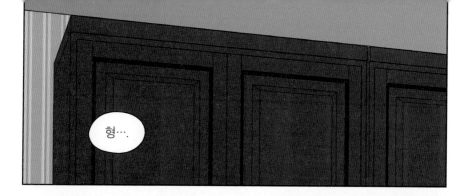

형…

…

현식이 형….

털썩.

부산의 한
작은 선착장.

뗄컹

끼이익..

예
성팔이
형님.

물건 전부
확인했습니다.

그래 수고했다.
애들 시켜서
창고로 옮겨놓고
들어가.

하_아‥

…담배.

탁

얼라리?
규 이사님
승진하고 따낸
첫 거래인데

어찌
기분이
언짢으시
당가?

영감님이
까라니까
깠지만

그 소문
넌 신경
안 쓰이냐?

뭔 소문?

아아-
그 이상한
조직 이야기?

무슨 조선시대 활빈당도 아니고 그딴 게 있겠슴까?

얼라리? 그런 거 신경 쓰이는 타입?

야~ 이 새꺄 깡패는 감으로 먹고사는 거야.

직감! 기분!!

후-우..

그 기분이 꺼림직하단 말이지….

아오~ 피곤해 뒤지겄다.

조폭은 야근수당 없나.

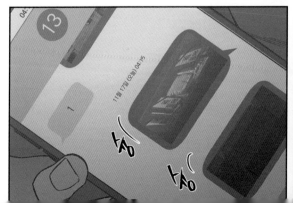

13

끼익—

하아…

알고 있어.

예…?

요새 좀
뜸하다
했더니….

김설호…
너 술만 취하면
고백하는 것도
벌써 17번째다….

내가 이래서
널 현장직에
못 보내는 거야….

저….

너무해!!!

자… 휴지.

근데 왜 제 기억에는 없죠…?

…넌 필름 끊길 정도로 마신 날에만 찾아오거든….

토닥

토닥

…찰 거면서 왜 달래줘요.

울쩍

토닥

…기억 못 할 거니까.

….

…어차피 기억도 못 하고

거절도 하실 거면….

키스 한 번만
하게 해주시면
안 돼요…?

제가 그럼
진짜 미련
버릴게요.

….

….

…이것도
17번째예요?

그래.

…
그럼 이번에도
해도 돼요?

….

설호아···

내가 널
어쩌면 좋을까···.

하아.

띵!
띵!

!

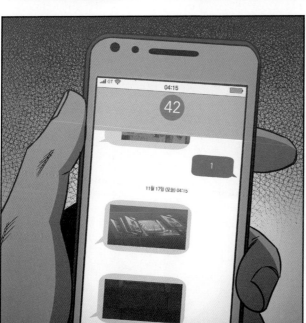

04:15

42

1

11월 17일 (목요일) 04:15

···

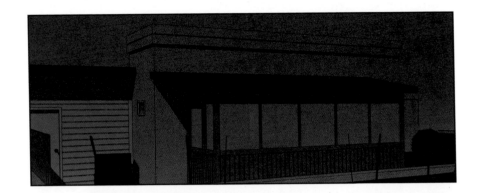

하나…

둘…

셋…!

….

정말 마지막 입니다.

두 번 말 안 하겠 습니다.

동시에 끊자고 말하지 않았습니까…!!

태만 씨도 안 끊어 놓으시구~!

저야 늦게 자도 익숙하지만 다혁 씨는 졸리실 텐데요….

원래는 그런데요~

태만 씨 목소리 들으니까 자꾸 늦게 자고 싶어져서… 흐흥.

쾅!

잘 자요오~

안녕히
주무십쇼.

…크흠.
그래도
주무셔야죠.

이번에도
안 끊으시면
앞으로 밤에 통화는
삼가겠습니다.

푸슈우…

앗~!
안 돼요!
알았어요
잘게요, 자!

뚝

이렇게…
즐거워도
괜찮나…?

두근

두근
두근

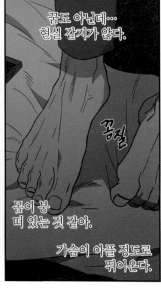

꿈도 아닌데…
현실 같지가 않다.

꿈틀

꿈이 붕
떠 있는 것 같아.

가슴이 아플 정도로
뛰어온다.

내 것이 아닌 것
같은… 가져본 적
없는 기분.

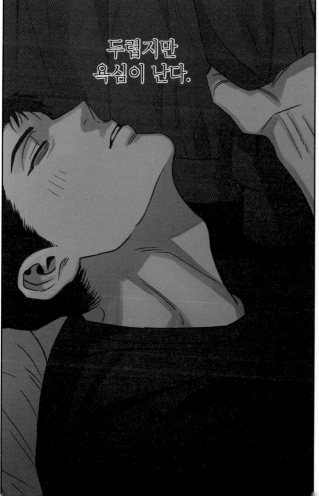

두렵지만
욕심이 난다.

시즌 2에서 계속…

4컷 만화

초판 1쇄 인쇄 2024년 3월 18일
초판 1쇄 발행 2024년 4월 5일

그림 에레세모
펴낸이 정은선

책임편집 이은지
표지 디자인 SONBOM DESIGN
본문 디자인 (주)디자인프린웍스

펴낸곳 (주)오렌지디
출판등록 제2020-000013호
주소 서울시 서초구 서초중앙로2길 35 돈일빌딩 4층 401호
전화 02-6196-0380 **팩스** 02-6499-0323

ISBN 979-11-7095-210-7 07810
         979-11-7095-208-4 07810 (SET)

www.oranged.co.kr